LIES

First published in 2018 by
The Dedalus Press
13 Moyclare Road
Baldoyle
Dublin D13 K1C2
Ireland

www.**dedaluspress**.com

ISBN 978 1 910251 39 3

Dedalus Press titles are represented in the UK by
Inpress Books, www.inpressbooks.co.uk,
and in North America by Syracuse University Press, Inc.,
www.syracuseuniversitypress.syr.edu.

Cover image by Elizabeth Mayville, by kind permission
www.emayville.com

The Dedalus Press receives financial assistance from
The Arts Council / An Chomhairle Ealaíon.

LIES

DOIREANN NÍ GHRÍOFA

DEDALUS PRESS

ACKNOWLEDGEMENTS

My thanks to editors of the publications in which these poems first appeared: *Cyphers, Iris Imram, Manchester Review, New Hibernia Review, Poetry International, Poetry Ireland Review, Samovar, Solas Nua, Southword, Strokestown Anthology, The Stinging Fly, The Well Review* and *The Trumpet*.

'Is Caol ~ an Miotal' was commissioned by Temple Bar Gallery and Studios, Dublin, and displayed within an exhibition by artist Otobong Nkanga. 'Fáinleoga' was awarded the Wigtown Prize for Gaelic Poetry in Translation (Scotland). The poem 'Faoi Mhaighnéidín Cuisneora, tá Grianghraf de Mhamó mar Chailín Scoile' was chosen by The Poetry Society (UK) to represent Ireland at an installation of European poetry at the British Library; this film-poem, among others based on the following poems, are available online.

Heartfelt thanks to all who provided the generous financial support that helped me to compose these poems, to The Arts Council of Ireland, the Rooney Family, Trinity College Dublin, The Seamus Heaney Centre at Queen's University Belfast, Cork Midsummer Festival, Cork City Council, and Éigse Michael Hartnett. *Go raibh míle maith agaibh.* Thanks to the generosity of the Ostana Prize Committee, I finished this book by an Alpine waterfall. *Grazie de cuore ~ Mercés!* The author wishes to acknowledge receipt of a bursary from The Arts Council in the writing of this book.

Deep gratitude to my editors and encouragers: Pat Boran, Aifric Mac Aodha, Pádraig Ó Snodaigh, Kenneth Keating, Biddy Jenkinson, Gabriel Rosenstock, Rose Keane, Marian Ruane, Ken O'Donoghue, Sara Baume, Sinéad Gleeson, Elaine Feeney, Éibhleann Ní Ghríofa and Tim Keane. *Buíochas ó chroí libh go léir.*

Contents

∞

5

Do mo thuismitheoirí, le buíochas

"Don't be afraid to tell the truth, even if it's a lie."
— Lucie Brock-Broido

An Chéad Choinne, Sráid Azul

Sa chistin, seolann boladh caife siar mé
go maidin eile, i dtír eile, i bhfad uainn,

áit a lasaim toitín is tú ag séideadh ar do chaife.
Imíonn gal is deatach le haer,

    agus princeann
        péire féileacán tharainn.

Monarchs, a deir tú. Cromann chugam
le míniú go n-eitlíonn siad 3,000 míle slí

go crainn ghiúise Mheicsiceo.
Smaoiním ar phobal na nAstacach

a shamhlaigh na féileacáin ina n-anamacha
ar foluain trí spéartha ciúine – ba naimhde marbha acu iad,

nó mná a bhásaigh is iad ag saolú linbh – a gcneácha
tiontaithe ina sciatháin dhearga. Níl a fhios agam

céard ba chóir dom a rá. Nuair a osclaím mo bhéal,
eitlíonn mo theanga uaim ar an ngaoth.

First Date on Azul Street

The smell of coffee sends me from this kitchen
to a morning in the distance, in which I light

a cigarette as your breath flies over dark liquid.
Our smoke and steam rise into the sky.

    A pair of scarlet
            butterflies wing by.

Monarchs, you sigh. You lean to me,
say that they will fly 3,000 miles

to reach Mexican fir trees.
I think of the Aztec people

who looked at butterflies and saw souls
floating through silent skies – enemy

warriors, women who died in birthing –
wounds turning to red wings.

I don't know what to say. When I open
my mouth, my tongue flies away.

Glaoch

Ní cheanglaíonn
     aon chorda caol,
aon sreang theileafóin sinn níos mó.
I réimse na ríomhairí,
    ní thig liom
do ghuth a bhrú níos gaire do mo chluas.
Ní chloisim ag análú thú. Anois, is í an líne lag seo
    an t-aon cheangal amháin atá eadrainn
agus titimid
      as a chéile
  arís
     is
  arís eile.

Call

No slender thread,
                  no telephone cord
binds us anymore.
Now that our computers call each other,
     I can't
press your voice to my ear.
No longer can I hear you breathe. Now, we are bound only
by a weak connection
and we break   up
   and break up
      and break up.

Dos Conejos

Si persigues a dos conejos, ambos escaparán.
(Seanfhocal: Má théann tú sa tóir ar dhá choinín is baolach go
n-éalóidh an péire acu)

1.

I réaltbhuíon Lepus
preabann coiníní tríd an dorchadas,
cúnna Orion ag tafann ar a dtóir.

2.

Le mála droma an *gringo* ar mo ghuaillí,
thuirling mé den bhus i bhfásach Atacama,
an áit ab fhearr, dar le *Lonely Planet,* le breathnú
ar spéartha breac le réaltaí reatha. Tháinig mé ar sheomra
i mbothán beag, áit a raibh beirt iníonacha ag spraoi le coiníní –

<dos conejos> a dúirt na gasúir, agus <dos conejos>, mo mhacalla,
    mo bhlas
anásta á gcur sna trithí. Scaoileadar le doras an phúirín
agus chuireadar im' bhaclainn í, peata coinín le clúmh mín
agus súile donna, a heireabaillín ar crith, nó gur srac na hingne
fúithi stríocaí fola díom. Lig mé léi de gheit, na leanaí
ar mire liom, an coinín ag léim uainn timpeall an chlóis,
mo ghrua lasta le náire, gan focail agam chun leithscéal
a ghabháil, ach mé i mo thost.

3.

I scáthán an tseomra fholctha s'acu, bhí cuma níos soiléire orm
ná mar a bhí riamh, mo scornach tinn le deora náire,
mo ghrua chomh geal le birín beo, nó réalta tite.

Dos Conejos

Si persigues a dos conejos, ambos escaparán.
(Proverb: An attempt to chase two rabbits risks losing both)

1.
In the constellation of Lepus
rabbits bound, while at their heels
the hounds of Orion howl.

2.
My shoulders were those of a stranger
when I hefted my backpack through the desert,
hobbling to the village suggested by *Lonely Planet*
to catch some shooting stars. I booked a bed,
attempted halting small talk with my host's
daughters in the yard.

<Dos conejos> they chanted at their pets,
and <Dos conejos> I echoed, my twang so bad
that it made them laugh. When the hutch sprang
open, they lifted one rabbit into my arms,
a plump bundle of fur, brown gaze, quivering
tail. Sudden, her nails, and sharp, my shriek,
the red ripped from my arm in streaks. I flinched,
my grip slipped. How those girls raged
as they chased the rabbit towards her cage.
How my face blazed; unable to find the right
phrase for regret, I shadowed them in silence.

3.
In their bathroom mirror, my shame was clearer
than ever before. When I wept, my throat scorched
sore, my cheeks bright as stars sparking through the dark.

4.
Mheall boladh béile mé chun boird leo, náire agus ocras
ag tarraingt uisce le m'fhiacla. Go stadach, d'iarr mé
ar bhean an tí ar thángthas ar an gcoinín caillte.
Chas na cailíní súile chun na spéire. <Dos conejos>
a dúradar, a méara sínte i dtreo an phota stofa.

5.
Sa bhaile, casaim féin súile chun sna spéartha anocht,
á lorg. I réaltbhuíon Lepus, tá siad fós beo, ag preabadh
tríd an dorchadas, cúnna Orion ar a dtóir.

4.
The smell of dinner lured me to their table
later, my mouth watering in disgrace and hunger.
Stutter-tongued, I tried to ask their mother
whether they found the bunny. I wanted to say
something like *Sorry*. The children cast their eyes
high, said <Dos conejos>, stretching fingers
toward the stew-pot with a sigh and a smile.

5.
Tonight, I cast my eyes to home skies and find
them again. In the constellation of Lepus, they bound,
while at their heels, Orion's hounds lift their heads and howl.

Le Tatú a Bhaint

Shíl mé nach mbeadh ann ach go scriosfaí thú
sa tslí chéanna go gcuirfeadh gasúr grainc air féin
ag breathnú dó ar chóipleabhar breac le botúin,
á shlánú in athuair lena ghlantóir:
bhí dul amú orm.

Nuair a baineadh d'ainmse de mo chraiceann,
bhris na léasair an tatú ina mílte cáithníní líocha.
Shúigh mo chorp do dhúch scoilte, scaoilte. Anois,
is doimhne fós ionam siollaí d'ainm, táid daite im' chealla;
táim breac leat.

Tá tú laistigh díom anois – caillte, dofheicthe.
Mé féin is tú féin, táimidne do-dhealaithe.

Tattoo Removal

I thought they would simply delete you,
as a child might find an error in homework,
frown, lift a pink eraser, and rub it out.
I was wrong. Everything's worse now.

To take your name from my skin, lasers
split it into a million particles of pigment.
My flesh bled, absorbing that broken ink,
letting your name fall deeper still. Sink.

Sink. Sunk. Now, you're stuck
in there, wedged somewhere in my innards'
disarray, between my arteries, my shame,
my quivering veins, and I, I must live
with your syllables, smashed, astray.

OK, OK. If you're inside me now, lost,
invisible, it's my fault. I'm sorry,
it was me who made us indivisible.

Féin-phic le Línte

Ag bailiú na n-éadaí tirime ón líne dom
agus an ghrian ag dul faoi, lasann solas sráide
agus líonann an t-aer le solas ómra-bhuí.

Stopaim seal idir an líne leictreach
agus an líne éadaí, agus breathnaím ar an lá
ag diúltú dá sholas. Idir gheal agus dhorcha,

análaím aer atá beo le móilíní fuinnimh,
adaimh nasctha, tonnta fuaime. Mothaím
aibhléis ag damhsa faram. Tá sí fillte arís,

an oíche. Fáiscim chugam í, i measc na n-éadaí.
Iompraím í in uchtóga, cuachta isteach
chuig mo chroí, agus iompaím arís i dtreo an tí.

Selfie with Lines

I'm gathering clothes from the line
when I feel the sun dip. The street light
clicks, turning the garden tinted, amber-lit.

I dawdle a while between wire
and clothes line, watch the day snub
its sunlight. Between bright and night,

I find the air so alive, where quivering electrons
and stray sound waves almost rhyme. The electricity
of evening has arrived; it spins me high, a wild jive.

She has returned: dear Night. I tug her close, tucked up
in a plump armful between chest and vests, socks and blouse,
and spin her round and round, turning again towards the house.

Scragall Stáin

Scrolla fada airgid
srianta

i ngéibheann
an chófra,

lúbtha
ina rannóir cairtchláir

le lann fhiaclach
a sracann as

chun béalbhéasa
a chur ar bhabhlaí

agus ar phrócaí
an chuisneora –

saol bocht,
suarach.

D'fhuasclaínn é, an scragall stáin. Dhéanainn
abhainn as, lí mhín liath scaoilte timpeall an tí.

Ag barr sléibhe an staighre, d'éiríodh an fhoinse
i nGuagán Barra, agus as sin, scaoilinn cláideach

uiscí geala na Laoi chun sníomh síos le fána,
ribín liath ag rith tríd an halla, faoi dhroichead an toilg,

Tinfoil

o aluminium roll,
o silver scroll

confined in
a cupboard,

bound in cardboard,
restrained behind

a jagged blade
that tears lengths

away to mute
the bowls and jars

of the fridge –
o small,

spare
existence.

I would free it, this twisted tin. I'd lift it from its cabinet and
spin a river of it, to loosen a smooth, grey spool through our rooms.

At the summit of the stairs, the source would spurt up from
Gougane Barra, setting a mountain stream to gush, and I'd lift it

and give it a push, I'd let the bright waters of the Lee rush down
the slope, until the hall filled with spilled silver ribbon. Under the
    bridge

scáileanna bric rua agus bradáin ag snámh
faoin duileasc inti. Oíche ghealaí, sheasadh

fear ar an mbruach lena mhac, soilse a sopóg
ag cíoradh an uisce. An buachaill, de chogar:

"A thiarcais, tá an abhainn chomh slíomach le scragall stáin,"
chuireadh a athair méar lena bheola agus roghnaíodh sé duán.

Leanadh na huiscí uathu, de chuar timpeall na ndoirse
go cathair na cistine. Le faí agus fáir na bhfaoileán thairsti,

scaoilinn uiscí sciobtha a dhéanadh oileáin de chosa boird
agus bruacha de bhallaí, a chuireadh glór na habhann

ag canadh faoi thóchair na gcófraí, abhainn chathrach
déanta di, breac le scáileanna dorcha lannacha.

Chuirinn rón aonair ar strae inti agus cailín óg rua
ar an aon duine amháin a d'fheiceadh é.

Tharraingínn an abhainn le hualach a scéalta uile
ina diaidh agus lúbainn í siar chugam.

Craptha,
sractha,

cúlaithe,
d'fhillinn

í ar ais
sa chófra arís.

of our couch, shadows of salmon and brown trout would swim
in and out of riverweed. On a moonlit night, a man might stand there

with his son, the light of their torches poaching the waters. If the child
whispered "Oh look Dad, the river's smooth as tin foil!" his father

would hush him quick, and turn to pick a hook from his tin.
The waters would surge onwards then, swirling under doors to the city-

kitchen. Where gulls screech and shriek high, I would thrust swifter
currents that might make islands of table legs and riverbanks of walls.

I'd give the water a voice to hum through the culverts
that run under cupboards, a lilting city song lifting from liquid

speckled with gloom-shadows of mullet. Song of frost. I'd put
a single seal there, lost, and conjure a red-haired girl on the docks,

the only person who'd glimpse it. I'd heave that river back, then,
the burden of all its stories dragging after it, I'd haul it in brash armfuls

all the way
back to me.

Shrunken,
crumpled,

torn, I'd fold
it, and close it

back in its press
once more.

Míreanna Mearaí

Ar feadh i bhfad,
ní bhfuair mé ort ach spléachadh:
scáil a scaip
faoi chraiceann teann;
mo bholg mór
poncaithe ag pocléimneach –
gluaiseacht glúine nó uillinne,
cos, cromán nó mirlín murláin
sa mheascán mistéireach a d'iompair mé.

Le breacadh lae, phléasc tú
ón domhan dorcha sin,
is chaith mé míonna milse
ag cuimsiú píosaí do mhíreanna mearaí,
á gcur le chéile, á gcuimilt:
Trácht coise i mbos mo lámh,
cuar cloiginn i mbaic mo mhuiníl.

Chuir mé aithne mhall ort, a strainséirín.

Jigsaw

For months,
there was little I could glimpse
in your jumble of limbs, but a muddle
of shadows stirring under my skin.
Untranslatable: my swollen middle
suddenly punctuated by the nudge
of knee or ankle, perhaps a small
knuckle rolling past fast as a marble,
maybe the cryptic twist of a heel or hip,

but once dawn drew you
from that dark world,
I spent months piecing
this jigsaw together at last, I saw
how the arch of your foot fit the hollow
of my palm, how your head nestled
into the curve of my neck. I knew it: we fit.

Then you grew, little stranger, and I grew to know you.

Suburbia

Tá bearna chomh caol le lúidín linbh
idir gialla thithe na gcomharsan.
Eatarthu, tá cnoic ar a luíonn
bó na n-adharc fada lúbtha
ag cogaint na círe glaise.

Suburbia

There is a gap as slender as the baby's little finger
between our neighbours' gable ends, and if
I squint now I can nearly see the cows out in that mountain
mud, their horns all twisty-turn, their teeth all churn
and churn, gurning their plump, green cud.

Brúitín

'And again let fall' – Seamus Heaney

Nuair a thugaim cuairt ort i do theach nua,
a chara, fágaimid ár ngasúir sa seomra suí
ag breathnú ar chartúin, agus seasaimid
le chéile sa chistin, ag scamhadh prátaí.

Suíonn siad i mo dheasóg go hamh néata,
ag dorchú línte mo lámh. Priocaimid
na súile astu agus eitlíonn a gcraicne
ó fhaobhar sceana go bosca muirín.

Cuimlím gach ceann acu – maol, dall –
faoi uisce fuar, go dtí go lonraíonn siad.
Gearraimid agus leagaimid i bpota iad, le beiriú
go dtí go scaoileann siad lena ngreim orthu féin.

I mbabhla, brúnn tú ina manglam iad, a gcleamhnas
déanta le locháin ime, salann is bainne. Cuirimid seacht
gcnocán ar sheacht bpláta, le feoil, cairéid, pónairí.
Ní aithneofá anois iad ó na cruthanna crua

a rug greim ar ár lámha níos luaithe, nuair a bhí sé fós
ina lá. Anois, tá ár radharc ar an ngairdín caillte againn.
Luíonn gal ar an bhfuinneog romhainn, iompaithe ina scáthán
dorcha, agus feicimid ár scáileanna ann, doiléir, liath, claochlaithe.

Mash

'And again let fall' – Seamus Heaney

When I visit your new home, old friend,
we stand by the sink, peeling veg.
Our children watch cartoons together
as dusk grows in your garden.

Raw, the spuds fit my fist neatly,
darkening each line with dirt. We laugh
while poking their eyes out, flicking dark
crusts from blade to bin, rubbing them in water-spill.

Bald, now, blind, how they shine! We chop them up,
lob them in a pot. Under the lid, a boil soon spits, as
the spuds roll and bump within, until something
in their clenched flesh gives, softening.

You tip them out and mash them hard,
marry them to pools of butter, milk, and salt,
then scoop seven mounds onto plates with meat
and peas. The potatoes are unrecognisable now

from the solid globes I held in daylight,
and look – we are missing the night garden too,
for steam cloaks the window, making of it a dark
mirror, and our faces hover there: hazy, pale, changed.

Dialann na hOíche: Miasniteoir

[01:37] atá ag an gclog aláraim
    nuair a dhúisíonn drantán mé, crónán
chomh domhain leis an dord
    a chnag ar chúl chnámh an uchta
i gclub oíche tráth, dord a bhuaileann
    fós, i gcúlsráideanna na cathrach
i bhfad uaim. Aimsím mo bhealach síos
    staighre tríd an dorchadas go mall,
ag bogadh tríd an halla ar bharr na méar,
    na lámha sínte romham. Buailim
ordóg choise ar dhoras na cistine agus titim
    in aghaidh an bhalla, ag eascainí
mar a phreabaim isteach ar chéim bhacaí.
    Tá geasa droma draíochta caite
ag an oíche, dorchadas tiubh, te
    a chaitheann cuma strainséartha
ar an seomra agus gach a bhfuil ann. Sa chúinne,
    tá creathán tochta i nglór an mhiasniteora,
a cheann bán á chaitheamh aige ó thaobh
    go taobh, é ag cogarnaíl faoina fhiacla
i dteanga nach dtuigim. Nuair a shleamhnaím méar
    faoina hanla, preabann sé ar oscailt de gheit,
an t-aer tobann im' thimpeall orm, chomh beo
    le cith drithlí nó scaoth foichí, gal-uisce
a chuireann greadfach im' chraiceann, a fhágann
    mo shúile scólta, a chealgann m'aghaidh
arís is arís eile. Tá an miasniteoir iompaithe
    ina cuasnóg foichí, ag dordán, ag seabhrán,
na céadta sciathán ar creathadh sa sobal. Caithim
    an fhuinneog ar oscailt agus ar nós gaile, nó cairde,
éalaíonn siad, eitlíonn siad leo, scamall dubh scaoilte
    chun na spéire, amach san oíche bheo.

Noctuary: Dishwasher

Neon digits read [01:38]
   when a buzzing hum
shakes me awake, deep as the dark
   bass thrum of nightclubs
that once bucked behind my breastbone
   like a pulse, a pulse that still beats
regular as gull's wings through city backstreets.
   I find my slow way downstairs
by fingertip, arms stretched, alone.
   Stubbing my toe, I yowl
and fall against the wall, cursing
   now, hobble-limping into the kitchen.
Night has cast a spell there, a geis
   of hot, thick darkness. In the corner,
the dishwasher shakes its pale head,
   shudders and mutters in a language
I can't comprehend. When I slide
   a finger in the slot, it flings
itself open, the air sudden and hot, a brawl
   of scald-water leaping past, abrupt as a shower
of welder's sparks or a swarm of wasps.
   Steam stings my skin, sears my eyes,
scorches my cheeks. The dishwasher
   has twisted itself into a wasps' nest,
spitting insects, all stinging and singing,
   thin wings skinning the suds.
I shove the window up and away they rush,
   into the sky, dissipating slow
as the shared breath of friends blurs
   a drunken cloud over clustered heads.
See how it lifts now, up, up, up into the sky,
   see how it climbs into the living night.

marginalia (foraois gan fhaobhar)

ní fheiceann
tusa anseo

ach seomra
folamh,

ach
in adhmad

an chláir sciorta,
feicimse foraois

gan fhaobhar,
foraois nach féidir

dul tríthi,
agus ar ghéag

inti, tá
ulchabhán

aonair
faoi cheilt,

a ghob
cuartha

ciúnaithe,
faoi gheasa,

na súile
bioracha

marginalia (impossible forest)

you may see
nothing here

only an
empty

room, but in
these timber

baseboards,
I see a forest

bewitched,
an impossible

forest that cannot
exist,

so we could never
sit up late plotting

our crossing
through it –

and yet, on
a branch

within, an owl
is peering up, his

curved beak
hushed, cursed,

duaithnithe –
dhá shnaidhm

dhonna
sa chlár,

sa choill
sin, a deir,

ina amharc
uasal orm,

Feicimse
a bhfuil fút, fút,

fút, fút. Feicimse
a bhfuil fút.

his shrill eyes
disguised now

by twin brown
knots in the wood,

in the woods,
and that gaze of his,

it is gallant, cool.
It's true: listen! Do!

How he seems to say
I see through you,

I do, I see through
 you, through you.

Triptic: Obair Bhaile

(i) Lorg

Ag glanadh an tseomra fholctha dom,
cuimhním ar cheacht staire scoile –

aistear Vasco da Gama, a chuid long maorga
ag trasnú léarscáil ghorm mo leabhar scoile,

na seolta bána ar crochadh. Ag bun an leathanaigh
bhí pictiúr d'fhulaingt an mhairnéalaigh,

fear i measc na gcéadta fear ballchreathach,
ciaptha ag an ngalar carrach: a mbeola ag cur fola,

a ndrandal ar sileadh, na cosa ag lúbadh fúthu,
a gcorp ag sníomh le pian na farraige.

Agus an scorbach ag dul in ainseal
d'fhillfeadh gach seanchneá orthu,

gach mionghortú dá gcuid a bhí cneasaithe le blianta:
brúnna agus scríobthaí a gearradh agus iad ina ngasúir óga.

Dá gcraicne, rinne an galar pár,
agus rianaíodh stair na páise ina léarscáil –

seo leochaileacht an choirp, nach dtig linn
teacht slán ar fad ó aon ghoin.

Smaoiním siar ar cheacht sin na staire
agus mé ag glanadh an tseomra fholctha

Homework: A Triptych

(i) Remains

I'm scouring the bathroom sink
when a page of an old textbook returns to me,

Vasco da Gama's voyage, his haughty vessels
crossing the vast blues of my schoolbook

their sails tall, pale. At the foot of the page
was a pencil sketch of his crew in distress,

so many young men shuddering
through the agonies of scurvy, lips bleeding,

gums seeping, limbs writhing,
their bodies in agony.

As the disease progressed,
each of their old wounds would resurface,

all the small hurts that had been healed for years,
back to the bruises and scratches of boyhood.

This sickness made parchment of their skin
to map the pain within, souvenirs

of the body's vulnerability, a reminder
that maybe our injuries never truly heal.

I think back to that history lesson
now, turning to the bathroom mirror.

mar a shéidim anáil ar ghloine an scátháin
agus sa cheo go bhfeicim lorg do lámh ann:

cruth croí a bhreac tú air, maidin amháin, a ghrá.
I lorg láimhe ar scáthán, scáil ar scáil,

tá tú liom fós, ar ghloine agus faoin gcraiceann.
Ar mo chroíse, is tusa an chréacht a d'fhill.

When I breathe on the glass, the hot fog reveals
the shadow of your hand, a heart

you drew, some morning in the distance.
In this mirrored fingerprint scribble,

you remain, both on glass and under my skin.
You mark this bruised heart, still.

(ii) Cliseadh Cuimhne

Ar do ghlúine duit le scuab sciúrtha
tagann tú air faoin reoiteoir,

cárta cuimhne caol plaistigh
nach n-aithníonn tú ar chor ar bith,

ach is léir gur leatsa é nuair a líonann sé
an scáileán leis na híomhánna atá curtha

de ghlanmheabhair aige. Fós, ní cuimhin leat
na cuimhní a fheiceann tú ann: lá cois trá, picnic,

cistin do mháthar, cáca le d'ainm air,
seanteach d'óige, lá sneachta,

peata coileáin ag rith trí ghairdín bán, a chosa reoite
san aer, reoite, reoite, agus is cuimhin leat an madra

ach ní cuimhin leat a ainm –
tá sé dearmadta agat,

mar atá na híomhánna seo ar fad dearmadta agat,
agus smaoiníonn tú siar ar alt a léigh tú

faoin mbothán a d'úsáid fir Shackleton
nuair a séideadh an *Aurora* amach ar an bhfarraige.

Céad bliain dár gcionn, aimsíodh bloc oighir ann
breac le claonchlónna, obair ghrianghrafadóra

a bhásaigh ann. Leádh iad agus réaladh
grianghraif astu, aghaidheanna a bhí

(ii) Memory Lapse

You're kneeling over a scrubbing brush
when you find it under the freezer,

a memory card, slender slice of plastic
which doesn't look at all familiar,

but you know it must be yours when it fills
a screen with the images it has learned

by heart. Even then, you don't remember the events
that you see: a day on the beach, a family picnic,

your mother's kitchen, a cake iced with your name,
the house you grew up in on a snowy day,

a puppy in a white garden, legs frozen in mid-air,
frozen, frozen, and you do remember the dog, then,

but not his name –
you have forgotten it,

as you've forgotten all of these days.
You find yourself thinking then of

the shed used by Shackleton's men
when their *Aurora* was gusted far, far out on the ocean.

A century later, an ice-block was discovered within,
filled with negatives made by a photographer

who perished during the expedition.
When developed, those photos lifted faces

caillte le fada ag éirí arís
as sléibhte oighir, bladhm súile

strainséartha ag breathnú ar ais
as scáileanna dubha agus bána.

long forgotten, raising them from crags
of ice, with strange smiles and flaring eyes,

those strangers who always stare back
from deep shadows of white and black.

(iii) Foraois Bháistí

I mbreacsholas na maidine, leagaim uaim an scuab
go n-aimsím radharc nach bhfaca mé cheana

ag dealramh ar an mballa: fuinneog úr snoite as solas,
líonta le duilleogdhamhsa. Múnlaíonn géaga crainn

lasmuigh na gathanna gréine d'fhonn cruthanna dubha
a chur ag damhsa fúthu, an duilliúr ina chlúmh

tiubh glas, an solas ag síothlú is ag rince tríothu.
Fuinneog dhearmadta ar dhomhain eile atá ann, áit agus am

caillte i gcroí na Brasaíle, áit a samhlaím fear ag breathnú
ar urlár na foraoise, ar an mbreacscáth ann, faoi dhraíocht

ag imeartas scáile, dearmad déanta aige ar an léarscáil,
ar an bpár atá ag claochlú ina lámh: bánaithe anois,

gan rian pinn air níos mó, gan ach bearna thobann
ag leá amach roimhe, bearna beo. Airíonn sé coiscéim

agus breathnaíonn sé siar thar a ghualainn,
mar a bhreathnaímse thar mo ghualainn anois,

ach ní fheiceann ceachtar againn éinne.
Níl éinne ann.

(iii) Rainforest

In morning's piebald light. I set the duster aside
on finding a slant sight emerging on the wall.

A new window appears to me, sunlight-snipped,
filled with shadow-twist and leaf-flit.

Branches sculpt dark limbs and sets them dancing,
furred with foliage, a spill of light, bewitched.

I watch it turn into a window to some other world,
a century lost in Brazilian forests, where a man stands,

now, gazing at the ground, how it fidgets in speckle-shadow.
Enthralled by the play of shade there, he is forgetting

his map, as the parchment swiftly transforms
in his hand, emptying itself fast, until no trace of pen

remains and a void stretches before him. He senses
a footstep, then, and his breath quickens, with a fast-glance

back over his shoulder, just as I glance over mine now,
spooked too, but neither of us sees anyone move.

No matter how long we stare and stare,
still, no one is there.

Faoi Mhaighnéidín Cuisneora, tá Grianghraf de Mhamó mar Chailín Scoile,

agus ag cúl an reoiteora
tá gríscíní, raca agus rí uaineola
corp agus cnámha, cosa reoite –
bladhm faoi oighear.

Deir céad-dlí Newton
go bhfanfaidh gach corp
ag gluaiseacht faoi threoluas
mura ngníomhaíonn fórsa seachtrach air.

Caillte: na crúibíní
a rinne poc-rince ar chliathán
cnoic trí sholas na gréine
ag dul faoi, deargbhuí.

Under a Fridge Magnet, a Photo
of Grandmother as a Schoolgirl,

and at the back of the freezer
are chops, a rack, and legs of lamb
body and bone, frozen limbs –
a spark in ice, grown still.

Newton's first law states
that a body will remain in motion
at the same velocity, unless acted on
by an external force.

Absent: the hooflets
that skip-jigged over a hill
where the red-yellow light
of sunset spilled.

Aibreán, 1912

Ar a shlí chuig suíomh an longbháite,
chonaic an Captaen de Carteret an cnoc oighir úd

trína dhéshúiligh. Ba léir go raibh an dochar déanta
cheana féin, an fhianaise soiléir:

stríoca fada dearg ar imeall an chnoic bháin,
scréach i bpéint.

B'in a scaoil an scéal leis an gCaptaen,
chomh soiléir le teacht dheirge an dá néal

le breacadh an lae. Bhí an cnoc oighir mar a bheadh
laoch na bhfinscéalta, ina fhámaire fir tar éis treasruathair,

ag bacadaíl leis go himeall pháirc an áir, le scairt fola
óna thaobh, áit ar buaileadh é le rinn claímh, agus

le gach sleaschéim agus leathchéim, an laoch ard
ag claochlú, ag lagú. Chomh hársa

leis na seandéithe, saolaíodh an sliabh oighir sin
le réim farónna na hÉigipte. Ginte sa Ghraonlainn

de chríonsneachta is oighear, scortha ó ghreim a mháthar-
oighearshruth chuig lapadaíl fhuar thaoidí an Aigéin Artaigh,

sceitheadh é, scaoileadh le sruth, go dtí an oíche gur chas sé
ar an long. Greadadh in éadan a chéile iad, ach lean sé

ar a shlí gan breathnú siar. Laistigh de chúpla bliain,
bhí seisean imithe leis, gan fágtha ina dhiaidh

April, 1912

As he made his way to the site of the shipwreck,
Captain de Carteret observed the iceberg

through his binoculars. That harm
had been inflicted was already evident

in the long red streak torn into its side,
a shriek in paint, a cry. That smear

revealed the story to the captain,
clear as dawn's first crimson vein.

The iceberg seemed to him a warrior
from some ancient myth, a colossal hulk

in the aftermath of combat, stagger-swooning
from a battlefield with blood seething from a wound,

how, with every side-step and half-step, that tall conqueror
seemed to be changing, softening, weakening.

As ancient as the old deities, this glacier was born
in the reign of Egyptian pharaohs. Conceived in Greenland

from ancient snows, borne of ice, split from the grip of his mother-
glacier to the cold lap of the Arctic Ocean, it was unstitched,

split, released to drift in torrents of ice, until the night
it chanced upon a ship. *Titanic*. Then, the collision – struck,

stricken – and still, it kept to its path without looking back.
Within some years, it, too, would evaporate, leaving

ach spreachall fionnuisce breac le móilíní péinte
deirge scaipthe, scaoilte i sáile an aigéin.

Deirtear nach ann d'uisce nua, go bhfuil an t-uisce
céanna de shíor ar fhéith-bhogadh timpeall orainn: ag leá,

ag reo, ag imeacht go haer, cosúil leis na héin, cosúil
linn féin, ár n-anam de shíor ag rince idir talamh is spéir.

in its wake only a trickle of freshwater, speckled with molecules
of red paint, strewn into the vast brine of ocean layers, astray.

They say that new water cannot be made, that the same water
is forever in flux around us, repeating its old story of melt

and freeze, lifting to inhabit air again, like birds, like us,
as our souls, too, swoop and fly between this world and these skies.

Aimsir Chaite

Trasna an tseomra
ar thonnta lámh,
seolann sé nótaí chugam.

Sa choirnéal graifítí
ar chúl na scoile
fanann sé orm,
blas tobac ar a bheola.

Le sciorta craptha suas thar glúine nochta,
caithim mo mhála scoile ar leataobh,
lán le hobair bhaile gan tosú –
leathanaigh fholmha
ar bhriathra neamhrialta
san aimsir fháistineach.

Past Tense

On a wave of palms,
his words float over the class
to reach my hand.

He pauses behind the school, waiting
by the wall most fluent in graffiti-scrawl.
His fingers drum. His tongue tastes
of smoke and chewing gum.

My skirt is rolled up over bare knees
when I arrive and fling my schoolbag
aside, full of homework I haven't started
yet – page after empty page to be filled
with irregular verbs
of the future tense.

rave

coschleiteach ar chosán
damhsaímid abhaile
le breacadh an lae,
dúidín deiridh na hoíche
á roinnt eadrainn,
dall ar shuansiúlaithe na traenach
beocht an doird fós ar preabadh
i gceol ár gcuislí
is dúghealacha lána
ag lonrú sa cheithre shúil ar leathadh.

rave

with highheels in our fists,
we turn feather-footed,
swaying over dawn pavements,
last night's last joint pinched
between us, oblivious
to sleepwalkers on the train,
with bass still thudding in our veins,
and black moons swelling in each gaze.

Tuathal

Cuirim eochair i bpoll an téitheora
  agus casaim an chomhla tuathal – siar,
siar – go dtí go gcloisim sileadh an uisce
  ag glugarnach as i mbraonta tiubha,
an t-aer a bhí srianta scaoilte arís.
  Le clic agus trice-tic, filleann cuisle an phíopa,
ag tarraingt teas ar ais trí chóras soithíoch an tí,
  trí fhéitheacha agus artairí folaithe faoi chraiceann
na mballaí – rúndiamhracht an ní nach bhfeictear
  a bhogann faoin dromchla, amhail oibriú cloig.
Smaoiním siar ar an gclog clinge i dteach mo sheanmháthar
  agus an scéal a d'insíodh sí i gcónaí
faoi lá samhraidh agus í ina bean óg nuaphósta,
  fágtha ina haonar chun an dinnéar a réiteach.
Le béile réidh, bord leagtha, an t-urlár scuabtha,
  sheas sí ag fanacht orthu, a lámha trom gan ualach
oibre orthu. Chonaic sí ansin go raibh an clog ina stop.
  Agus í in airde ar stól chun é a thochras,
an eochair ina dorn aici,
  chaith a hathair céile an doras ar oscailt,
le búir a ligean uaidh nach mbeadh sé de chead aici go brách
  méar a leagan ar spré a chéile. Ní dhearna sí
dearmad ar a fhocail, a dúirt sí, gach uair ina dhiaidh sin
  gur chuir an clog céanna ar stól í, le heochair
a bhrú sa pholl agus é a chasadh tuathal – siar,
  siar go dtí gur chuala sí clic agus trice-tic,
cuisle an chloig fillte arís – córas casta an tsaoil,
  a chuid féitheacha agus artairí, agus rúndiamhracht
shíoraí an ní nach bhfeictear, a bhogann i gcónaí
  faoi dhromchla ár laethanta.

Counter-clockwise

I place a key in the radiator slot
    and twist the valve withershins – back,
back – until the fall of fat glottal drops,
    the liquid drip as gas is released
and the click and trickle trick of pipe-pulse
    returns to me, beckoning heat through
all the veins and arteries concealed in this wall's
    skin – the mystery of that which ticks within,
lurking just under the surface, like clockwork.
    I think of my grandmother's home
how her clock chimed when she told her tale
    of the summer's day when she a newly-arrived
bride left alone to prepare the meal at midday.
    With dinner finished, floor swept,
table laid, she waited, hands heavy with the lack
    of tasks. Seeing that the clock had stopped,
she clambered up on a stool to correct it fast,
    yes, she had its winding key gripped in her fist
when her husband's father threw the door open,
    roaring that she must never, never! lay a hand
on his wife's dowry. Never. She remembered
    his words, she always said, every time that old
clock put her up on a stool again, arthritic, now,
    to place the key in its slot and twist it
withershins – back, back, until she'd hear the click
    and trickle trick of clock-pulse returned –
the convoluted workings of life,
    all its veins and arteries, and the mystery
of the unseen, of that which ticks within, lurking
    under the surface of our days, continually.

Fáinleoga

Bhuail na bioráin binneas ceoil ón gciúnas,
greimeanna ag tuirlingt amhail fáinleoga
i scuaine ar sreang ag fáinne an lae,
iad ag faire ar shnáithín olla á shníomh
ina ghúinín cróchbhuí, gan lúb ar lár,

déanta di siúd
a d'fhan, is
a d'imigh léi
i bhfaiteadh na súl.

Sínte spréite i m'aonar
i bhfuacht an ospidéil,
cuimlím míne, gile
an ghúna le leathleiceann liom.
Scaoilim leis an tsnaidhm,
ligim le

                                        lúb
                        ar
                lúb
snáithe silte
fáinleoga ag titim as radharc
le luí na gréine.

Fásann an liathróid olla
i mo lámh: lúbtha, liath, lán.

Swallows

The knitting needles drew song from silence,
little stitches following each another
as dawn swallows gather on a wire,
peering at a skirt of yellow wool
that grew bright as a bruise, becoming

a dress
for a girl who came
and left
too soon.

Stretched in a narrow bed,
I lie in a corridor, alone. Cold,
I hold the small dress to my cheek
a moment, then unbind the knot,
and release

                                      stitch
                       after
             stitch

each unpicked, as swallows vanish
at dusk to some unfathomable land,
far from us.

I hold this soft unravelment as it grows,
and O, it grows, this un-wound wool. It grows. Dull. Full.

Sólás

(Nóta: Den Bhéaloideas é go bhfillfeadh anam an linbh mhairbh i riocht an cheolaire chíbe is go dtabharfadh a ceol faoiseamh croí don mháthair)

Faoi cheo gealaí meán oíche,
de cheol caillte,
filleann sí ó chríocha ciana:
Aithním do bhall broinne,
a cheolaire chíbe
agus is fada liom go bhfillfidh tú arís
chugam.

Solace

(Note: In Irish folklore, souls of dead infants were believed to return as sedge-warblers to comfort their mothers with song)

Listen: in midnight
moon-mist, in snatches of lost music,
I've heard her return from the distance.
Little visitor, your birthmark looks so familiar.
Small warbler, listen, every night, I'll wait,
awake, facing north, until the last star-light fades.
Find me, child; I yearn for your return.

Póigín Gréine

Scaipeann bricíní gréine ar dhroichead do shróine
mar a bheadh ballóga ann ar chraiceann na mbreac
a shnámhann anois trí scáthanna dorcha
is trí sholas ómra, ag dul le sruth.

Freckle

The freckles on the bridge of your nose
sing loud, now, of the speckled skin of a trout,
one who swims out through shallow glooms
and amber-dappled beams, a dapper changeling
swerving upstream.

An Bróiste Rúiseach

do Eavan Boland

Imithe amú ag cúl vardrúis d'aintín, (faoi mhuinchillí
síoda, sciortaí fada, cóta dearg athchaite, bróga athláimhe
ar shála arda) luíonn an bróiste Rúiseach a cheannaigh sí

ar chúig phunt i siopa seandachtaí. *Ní fhéadfainn é a fhágáil
i mo dhiaidh,* ar sí. Tá gile na loinnreach maolaithe le fada,
an biorán lúbtha as riocht, is mar a bhíodh seoidíní tráth, níl

anois ach trí pholl loma. Is dócha gur bhain méara strainséara
iad, gur díoladh iad faoina luach ar bhruach oighreata an Невá
i Санкт-Петербýрг, ar mhaithe le greim nó gluaiseacht.

Tá an bróiste bodhar anois ar gach ach cuimhne sheanphort
an chéad choirp a chaith é. Luíonn sé fós ag cúl an vardrúis,
ag cuimhneamh siar ar cheol nach bhfillfidh anois go deo

na ndeor, an cuisle-cheol a bhuail brollach strainséara dó fadó.

The Russian Brooch

for Eavan Boland

Lost at the back of your aunt's wardrobe, (under silk
sleeves and skirts, second-hand heels, an old red coat)
lies the Russian brooch she snagged years before, haggled

down to a fiver at an antiques stall. *I couldn't leave it after me,*
she shrugged. Its glister has faded, its pin is long bent out of shape,
and where three little stones once glowed, now there are

only holes. I suppose they were plucked by a stranger, long before,
bartered cheap on the banks of the Невá in Санкт-Петербу́рг
for food or safe passage. The brooch no longer hears us,

although it still croons the tune hummed by the first body
to lift it. It lies on the wardrobe floor, recalling
the pulse-melody sung by that heart's churn,

a sweet nocturne that will never return.

Solitude

Deirtear
  gur dhíol sé móinéar thoir
  fheirm a mhuintire leis na tógálaithe
  mar mhalairt ar philiúr airgid
  agus bos beo le seile cuaiche. Sin uile.

Deirtear
  gur cheannaigh sé bád
  ar bhaist sé *Solitude* uirthi
  gur chuir sé ar snámh ar Loch an Bhúrcaigh í,
  an t-aon uair amháin.

Deirtear
  go bhfuil sí sa bhaile aige, ina suí go seascair
  i gcúinne bhothán na mbó, faoi shíoda
  na ndamhán alla. Is fíor sin. Tá deannach faoi bhláth
  ar an gcabhail, áit a bhfuil lorg lámh mná le feiceáil.

Solitude

They say
    that he sold the haggart of the family farm
    for a pillowslip of builders' cash and
    a palmful of cuckoo spit. Shrug. That's it.

They say
    that he bought a boat, called it *Solitude*,
    sailed it once, beyond on Lough Bourke,
    but never again did it touch that murk.

They say
    that it sits in the calves' cabin, tucked under
    a shroud of cobweb blossom. It's true. Dust blooms
    on the hull too, where a woman once wrote a clue.

Leictreachas Statach

Scaoilim leo i m'ainneoin féin.

Ag geata na scoile, ligim le mo ghreim
ar na lámha go drogallach, agus nuair a fheicim
an lasadh ina ngruanna, ní bhrúim póg orthu.
Imíonn siad trí na doirse gan breathnú siar.

Fillim abhaile i m'aonar agus tagaim orthu
sa triomadóir éadaigh, a ngéaga snaidhmthe
ina chéile, fite fuaite leis an leictreachas statach,
a gcuid léinte fillte i mbaclainn mo gheansaí,
fáiscthe le m'ucht.

Nuair a dhéanaim iarracht na héadaí a scaradh,
léimeann siad ina chéile le spréachadh aibhléise,

cúbann siar uaim de gheit.

Static Electricity

I let them go, in spite of myself.

At the school gate, I release my grip on their hands
with reluctance. When I notice their cheeks growing
blush-lit, I bite back my kisses. They stroll through
the doors without glancing over their shoulders.

I walk home alone and find them
in the dryer, their limbs twisted
into each other, gripped with static electricity,
their shirts tucked between my sweater sleeves,
pressed to my breast.

When I attempt to pull those clothes apart, they cling
to each other, firing electric sparks that startle me back,

flaring a static shock to fling me off.

Faobhar an Fhómhair

Lá Lúnasa ag faobhar an Fhómhair
ritheann abhainn tríd an bhforaois,
áit a ndreapann fear síos lena gharmhac
le clocha a chaitheamh.
Preabann a bpúróga, sleamhnaíonn siad
trí chraiceann na habhann.
Casann siad ciorcail chomhlárnacha,
cuasanna a chnagann ar a chéile.
Lastuas, tá fáibhile ag faire ar an gcruth.
De dhearmad, ligeann sí lena greim
ar dhornán duilleog – glas, órga –
go scaoiltear iad le sruth.

Cusp of Autumn

Late August, cusp of autumn,
and a river splits a forest
where a man and his grandson scramble
down a slope to throw stones.
Watch: their pebbles soar, hopscotch,
then slip into the water's skin,
sketching concentric circles that glint,
thin edges colliding on the current.
The beech tree watching from above
forgets herself and drops a handful
of leaves – golden, green –
sending them scattering into the stream.

Faoi Ghlas

Tá sí faoi ghlas ann   fós, sa teach   tréigthe,
   cé go bhfuil   aigéin idir í   agus an teach
a d'fhág sí   ina diaidh.

I mbrat uaine   a cuid cniotála,   samhlaíonn sí
   sraitheanna, cisil ghlasa   péinte
ag scamhadh ón mballa   sa teach inar chaith sí –

– inar chas sí   eochair, blianta
   ó shin,   an teach atá   fós ag fanacht uirthi,
ag amharc   amach thar an bhfarraige mhór.

Tá an eochair ar slabhra   aici, crochta óna muineál
   agus filleann sí   ann, scaití,   nuair
a mhothaíonn sí   cloíte.   Lámh léi

ar eochair an tslabhra, dúnann sí   a súile agus samhlaíonn
   sí an teach úd   cois cladaigh, an dath céanna
lena cuid olla cniotála, na ballaí   gormghlas,

teach   tógtha ón uisce,   teach tógtha   as uisce
   agus an radharc   ann:
citeal ag crónán,   gal scaipthe,   scaoilte

ó fhuinneog an pharlúis, na toir   i mbladhm,
   tinte ag scaipeadh   ar an aiteann
agus éan ceoil a máthar ag portaireacht   ina chliabhán,

ach cuireann na smaointe sin ceangal   ar a cliabhrach
   agus filleann sí arís   ar a seomra néata, ar lá néata
eile   sa teach

72

Under Lock and Green

She is locked there   still, in a distant   home,
    despite   the ocean between her   and that old door,
the keyhole she jilted   long before.

In the green sweep   of her knitting,   she imagines
    layers,   green layers of paint,
a wall peeling   in the house where she spent –

– where she turned   a key – years
    before, years,   the house that   still   waits for her
gazing   over   the sea.

She wears the key on a chain   at her throat
    and she returns,   occasionally,   when
she feels   wearied.   All it takes is a hand

on that chained key, to close   her eyes and daydream
    the house into being   back by the beach,   the same
shade as her wool, the walls   blue-green, tall, full,

a house drawn   from water, a house drawn   of water
    and the view   she conjures there,   always trembling, edging
despair: a fretting kettle,   its steam loose,   leaving

through the parlour window,   where the furze is blazing,
    fires swelling   through gorse again,   and o, within,
her mother's songbird   chirping   in its cage, unafraid –

o fear, o fray –   thoughts like these bind her chest too tightly
    so she'll release the key, return   to this neat little room,
this neat little day   another   in this home

73

altranais,   teanga na mbanaltraí dearmadta   aici,
   seachas *please* agus *please* agus *please,*
tá sí cinnte de   nach   dtuigeann siad   *cumha*

ná *tonnta* ná *glas*   timpeall a muiníl,
   ualach   na heochrach   do dhoras   a shamhlaíonn   sí
faoi ghlas fós, ach   ní aontaíonn an eochair   sin

leis an nglas níos mó   tá an chomhla dá hinsí   i ngan fhios di
   an tinteán líonta   le brosna   préacháin
fós, fáisceann sí an chniotáil   chuig a croí

ansin baineann sí dá dealgáin   í, á roiseadh go mall arís,
   arís, na línte scaoilte   ina gceann agus ina gceann
snáth roiste á aistriú go ciúin: gorm-ghlas gorm-ghlas

gorm-ghlas gorm-ghlas gorm-ghlas gorm-ghlas   amhail cuilithíní
   cois cladaigh   nó roiseanna farraige móire.   Sracann sí
go dtí go bhfuil sí   féin   faoi

ghlas   le snáth   á chlúdach   ó mhuineál go hucht.
   Ansin,   ceanglaíonn sí   snaidhm úr, snaidhm   dhocht,
ardaíonn sí na dealgáin   agus tosaíonn sí   arís.

for the elderly   though she forgot the nurses' words years ago
    except *please* and *please*   and *please;*   she's certain,
though, that they   understand neither   *cumha*

nor *tonnta*   nor the *glas*   at her throat,
    the weight of a key   for a door   she imagines   still
locked, but   no,   that key won't slot

into the keyhole anymore   the door has fallen from its hinges
    long ago, the hearth overflows   with the kindling of crows
so she stops,   nestles her knitting   close

then lifts it from the needles,   and unravels slowly again,
    again, each line released   one   by one, and
in its unravelment, the thread translates itself: blue-green blue-green

blue-green blue-green blue-green blue-green   like little ripples
    scribbling on the shore or immense ripping oceans juddering forth.
She tears   and tears until   she is   under

lock and green again, a muddle of wool cloaking her neck and chest.
    Then,   a breath, just one,   and then, she ties   a new knot,
lifts the needles   begins   again.

ag béal na huaighe samhlaím mé féin in áit éigin eile,

ag an zú i bhFóite, b'fhéidir,
áit a bhfuil tréad séabraí teannta lena chéile,

súile an tslua orthu
faoi spéaclaí dorcha gréine.

Nuair a iompaíonn an searrach is óige
a aghaidh in airde

leanaim raon a shúl
agus feicim ansin é,

gabhlán gaoithe scaoilte
go machairí na hAfraice

spléachadh sa spéir,
éan aonair

      thuas ard,

  saor.

at a graveyard, I always imagine myself somewhere else,

at the zoo in Fota, maybe,
watching a huddle of zebra

as the youngest foal lifts
her face to the sky,

and when I follow her gaze
I, too, see the bird that flickers there,

tilting away towards African plains,
high, higher, over the trees,

leaving us only this quick sky-glimpse
of a single swift

      high,

  free.

Is Caol ~ an Miotal

i gcead do Otobong Nkanga

Is caol ~ an miotal
is caol ~ an geata
a sheasann eadrainn
oíche sheaca.

Is caol ~ an t-iarann
is caol ~ an lúb
is caol ~ an scoilt
dár scarúint.

Slender ~ the Metal

after Otobong Nkanga

Slender ~ the metal
slender ~ the gate
slender ~ the border
where frost grows late.

Slender ~ the metal
slender ~ the twist
how it divides us
how it splits.

Faoi Shamhain,

Nuair atá gach uile ní
ag titim, ag teip,
an domhan ag tiontú
ina mhóta dorcha,
ag maothú faoi chosa,

cuimhnigh
go gcanfaidh
duilleog dheiridh
an chrainn
sa ghairdín
scol an loin
má chuireann tú
cluas le héisteacht ort.

Folaítear ceol
faoi sciatháin gheimhridh
áit nach bhfeicfí é.

Éist.

In November,

when everything
is falling, failing,
the whole world
dulled, turned
to black mulch
underfoot

remember
that the very last
leaf
up on the tree
will whistle
a tune
if you listen
closely.

Secret melodies have been
concealed under winter wings,
in case of emergency.

Listen.

Mallacht

Guím máthair
    chéile ort
a thiocfadh maidin Domhnaigh
    gan chnagadh
le slacht a chur ar do theach
    mar is ceart,
a leagfadh
    na téada damháin alla
a dhamhsaíonn
    ar gach balla,
a ceirt dustála
    ag lomlúbadh
agus í ag canadh tiúine le Joni
    in ard a cinn agus a gutha,
a d'fhágfadh gach seomra
    sciobtha scuabtha,
cíortha cóirithe, na damháin alla
    caillte, an t-aer tiubh le geonaíl
míoltóg ar feadh
    seachtaine ina diaidh.
Mo thrí mhallacht ort:
    máthair chéile mar seo,
dea-bhéasa,
    agus balbhacht.

Curse

I wish you a mother-
    in-law
who'd saunter up on a Sunday morning
    without knocking,
to tidy your house
    as it should be done, correctly,
a woman who'd swipe
    all the cobwebs
that dangle-dance
    in every corner,
her feather-duster jigging
    a wild rollercoastering,
and she would be singing shrill and free –
    Joni Mitchell, probably.
I wish you this woman who'd leave
    every room spick and span,
immaculate, every spider squished,
    leaving the air thick
with whining houseflies
    for weeks.
A triple-curse: may you be jinxed
    with a mother-in-law
like this, with impeccable manners
    and a buttoned lip.

Lightning Source UK Ltd.
Milton Keynes UK
UKHW041603220621
385915UK00001BB/87

Doireann Ní Ghríofa is a bilingual writer. Born in Galway in 1981, she grew up in Co. Clare and now lives in Cork. Among her awards are the Rooney Prize for Irish Literature, a Seamus Heaney Fellowship, the Ireland Chair of Poetry bursary, the Michael Hartnett Award and, most recently, the Ostana Prize (Italy). Dedalus Press published her first English-language collection, *Clasp,* in 2015. *Lies* draws on poems from her three Irish-language collections to date, *Résheoid* (2011) and *Dúlasair* (2012) and *Oighear* (2017), all published by Coiscéim.

When does a poem tell the truth? When is it a lie? Intimate moments carefully re-appraised (first dates, break ups, young parenthood, etc.) are the raw material of these vivid and wholly engaging poems, written in Irish, and translated here by the author – a process that itself raises questions about poetry and truth.

But a great deal of the power of Ní Ghríofa's work comes from the way her personal history links her to the wider world – to the imaginative encounters that prompt so many of the poems, to an acute awareness of the restless nature of language itself, and not least to the women who preceded her and who remain a steadying and guiding presence throughout.

"[Ní Ghríofa] achieves the feat of making us look again at the usual and illuminating its pulsating strangeness. She is a brilliant addition to the distinguished succession of bilingual poets writing in Irish and English."
— Eiléan Ní Chuilleanáin,
Ireland Professor of Poetry

"The dual language approach of Ní Ghríofa sets her apart ... Be it in Irish or in English, the vitality and force of Doireann Ní Ghr voice ensure that h
— Clíona Ní R
de la Sorbonn

Prospect Books & Media
Wk 8 Yr 25   48 £2.00
031497
Poetry & Plays

ISBN-13: 978-1-910251-39-3